Les piliers de la sagesse

Ludovic Digan

Les piliers de la sagesse

Essai

LE LYS BLEU
ÉDITIONS

ISBN : 979-10-377-5433-2

Prologue

Nous avons tous nos défauts.

Il apparaît que dans certains moments de ma vie, j'ai pu manifester le fait d'être têtu sur les choses et avoir de l'orgueil car je n'aimais pas être repris lorsque je commettais des erreurs. Pourtant, j'ai toujours eu cette envie, dans mon cœur, d'être meilleur chaque jour, surtout en ce qui concerne mon caractère. Ceci dans un but de progression par l'écoute, grâce aux conseils, aux reproches et aux critiques.

Cela a toujours été pour moi un défi d'humilité et de modestie à acquérir dans ma personnalité. Quand bien même ceux qui me critiquaient et ne me portaient pas un regard bienveillant, en ce qui concerne mon comportement et mon caractère, au cours de ma jeunesse.

Dans mon cœur, cette capacité de vouloir continuer à avancer m'a amené vers une envie de bon sens et de droiture. Des qualités qui ont toujours été pour moi un moyen de croire en l'espoir d'une vie paisible et abondante.

Je suis né d'une famille chrétienne où l'amour des autres et la bonté m'ont toujours été partagés. En grandissant, j'ai eu à cœur de donner aux autres la possibilité d'avoir davantage de connaissances sur leur personnalité et leur caractère.

Certaines personnes peuvent avoir conscience, ou non, du comportement qu'ils adoptent face aux autres. L'équilibre, dans celui-ci, peut être une des clés de jouissance, de paix et d'harmonie dans leur vie.

Ce que j'ai appris, au travers de plusieurs enseignements, lectures et expériences sur le développement de soi, je tiens à le transmettre car c'est ce qui m'a élevé.

Je remercie chaque personne de ma vie de m'avoir poussé à être une personne plus stable et plus sage.

Au fil de ma marche, j'ai eu à cœur d'écrire ce livre car c'est pour moi une manière et une occasion de vous transmettre cette sagesse et ces piliers. Afin que, lorsque vous êtes seul, au travail, avec votre famille ou vos amis, vous puissiez, vous aussi, adopter le meilleur comportement possible dans vos relations. Car une bonne réputation vaut mieux que de grandes richesses.

Chapitre 1
L'écoute

Dans notre société, beaucoup de personnes ont besoin d'être écoutées et entendues. Malgré cela, il nous est parfois difficile d'être entendus par ceux qui nous entourent. Par la même occasion, il peut être difficile de pouvoir pleinement s'exprimer avec notre cœur, car aujourd'hui tout va vite. En effet, dans notre société, beaucoup de gens souffrent moralement. Lorsqu'on passe à côté d'autres personnes dans la rue, que nous leur adressons à peine un regard, une pensée et/ou une parole, ces personnes qui souffrent se sentent à peine entendues et ne s'expriment plus, car elles ne se sentent pas écoutées.

Pourtant, le simple fait de leur donner de l'attention ou une parole peut avoir un réel impact dans leur quotidien.

Pourquoi est-ce que j'emploie le mot « vite » ?

J'emploie ce terme parce que nous avons du mal à prendre le temps d'écouter et à comprendre en détail ce qu'on nous rapporte. Pour, par la suite, exprimer de manière efficace et avec les mots justes, ce que nous aurions pu dire. Certains d'entre nous manifestent mal le message qu'ils veulent faire passer à l'autre. Il est possible que nous énoncions notre propre regard ou vérité lorsque nous voulons apporter nos conseils aux autres. De plus, il apparaît que par moment, nous n'attendons pas que l'autre ait fini de parler avant de lui transmettre nos suggestions qui sont issues de notre vérité, notre histoire ou nos expériences. Avant d'exprimer nos pensées et nos mots, face à la personne que nous estimons et l'amour que nous pouvons porter pour lui, prenons le temps d'écouter entièrement celui qui s'exprime et se confie en nous.

Nous avons deux oreilles pour écouter et une bouche pour parler. La bouche est faite de dents et de lèvres, ce qui peut se traduire par « parlons moins et écoutons davantage les personnes qui donnent d'elles-mêmes et s'expriment. »

Lors de nos moments de faiblesse, avoir une écoute attentive et concentrée nous redonne un échantillon de bien-être et de douceur dans notre cœur. Ainsi qu'une envie de mieux nous entendre, de nous découvrir et cela nous donne plus de moyens pour nous comprendre et afin d'évoluer au-delà de nos limites.

Il est vrai qu'il faut savoir écouter, mais savoir écouter veut aussi dire avoir la capacité de prendre garde et de filtrer ce qu'on entend. Ce qui signifie savoir examiner ce qui peut être bon ou pas dans ce que l'on a entendu. Parce que, nous entendons et écoutons beaucoup de choses dans notre vie, surtout dans notre société où beaucoup d'informations extérieures nous sont communiquées.

Que ce soit au travail, à la maison, avec les amis, toutes ces informations extérieures qu'on reçoit peuvent nous amener à faire des choix qui peuvent être ou ne pas être bons pour nous. Cela veut aussi dire qu'il nous faut de l'équilibre même dans notre écoute. En effet, une personne dans sa faiblesse et ses peines s'impose à elle-même une responsabilité personnelle face à l'autre. Ainsi, cela nous demande d'être en mesure d'apprendre à se sentir disponible ou disposé à écouter quelqu'un. Ceci, avec comme objectif, de lui donner et lui proposer la meilleure concentration possible.

Cela implique d'être concentré sur ce que dit la personne, d'être attentionné et disponible, pour entrer dans son univers et entendre ses paroles. Cela relève d'une disponibilité intérieure ; en effet, il faut s'efforcer d'avoir de l'attention, d'essayer de se concentrer ou de comprendre ce que l'autre nous dit.

Cette démarche a pour but d'analyser sa parole (en tenant compte de sa vérité et de notre subjectivité) et d'y chercher un sens. En réalité, cela va nous demander de fournir un effort/exercice de concentration centrée sur autrui, de le comprendre à partir de son propre monde et de ne pas chercher à comprendre tous les éléments de son discours.

Il est mieux, pour nous, de garder cet espace dans nos pensées, notre cœur et d'acquérir ce silence en soi.

Cela nous demande du temps, de la discipline personnelle et de l'expérience, dès lors que nous prenons conscience de cette révélation. Il ne peut être acquis en un instant.

Même s'il est aussi important pour notre développement d'écouter les conseils, les instructions, les reproches, les avertissements et les critiques, ceux-ci peuvent être durs à accepter.

L'écoute sera composée de notre appui et notre capacité de compréhension par rapport à notre système de pensée. Nous sommes des êtres uniques et nous comprenons à notre façon, avec notre réalité et notre singularité, les messages et les choses qui nous entourent. En effet, nous obtenons cette manière de penser singulière, par le son d'un individu, d'un proche et de notre monde intérieur et extérieur. Cela implique de connaître son corps, ce que les discours de l'autre nous renvoient, de s'écouter et de prendre conscience de notre univers.

Quelles sont les qualités de nos pensées intérieures ? Pourquoi nous avons une telle réaction émotionnelle à cause d'une phrase qui nous a été dite ? À quel moment et dans quelles circonstances cela arrive-t-il ?

L'écoute nous demande cette attention au-devant de ceux qui s'ouvrent à notre égard. De prendre le temps avec ces personnes qui ont besoin de s'exprimer et de recevoir l'attention qu'il nous demande. Comprendre son message, au travers de sa gestuelle, en même temps que ses paroles, dans cet univers que nous partageons pour nous sentir écoutés. Il est important, d'accepter, sans jugement, ce qu'il a à nous dire, ses émotions et son intention avec patience dans l'instant présent.

De plus, il faut prêter attention à notre raison et aller au-delà de nos envies, car l'écoute demande de se taire, sans chercher au fond de nos pensées à expliquer ou interpréter le message de la personne qui se confie à nous.

L'écoute demande donc de se mettre à côté de soi-même avec un cœur sincère, d'être présent et d'accepter le fait qu'écouter c'est aussi prendre en compte nos émotions et sentiments intérieurs, qui vont nous amener à entrer dans l'univers de l'autre. Cependant, en fonction de l'écoute donnée, cela peut avoir l'effet inverse et fermer la parole de l'autre. Ainsi, l'individu peut être entendu mais ne pas percevoir qu'elle est écoutée, ne pas percevoir que la personne se tient prête à entendre et à donner son attention, sans se limiter et donner une compréhension intellectuelle dans ce que cette personne souhaite partager, en l'instant présent.

C'est une chose par laquelle nous pouvons et devons être préparés à l'intérieur de nous. Une écoute doit être centrée sur la personne que nous voulons aider. Cela va de pair avec le fait qu'il faut comprendre et accepter que nous courons le risque de ne point avoir de résultat. Ceci, en dépit de notre amour et de notre bonne volonté.

Chapitre 2
Le discernement

Un mot bien profond tel que celui-ci définit l'action qui sera pour nous une disposition de cœur à la maîtriser. Le discernement va nous permettre de garder le contrôle sur nos choix et nos décisions. Ce qui nous permet d'être dotés de bon sens.

C'est avoir cette faculté qui nous demande de savoir distinguer les choses. Finalement, c'est un travail spécifique qui va nous demander de la maîtrise et de l'analyse de soi, sur les situations que nous traversons. Ce simple mot, qui nous permet une fois intégrée dans notre manière de vivre, d'apprécier les qualités d'une personne. Autant dans son caractère de tous les jours que dans ses paroles. Cela nous permet ainsi d'apprécier les défauts de cette personne et de prendre en compte ce qu'il ou elle a pu vivre ou endurer dans son passé.

Dans cette logique, il faut faire attention à ne pas manifester tout de suite notre colère ou notre frustration face à la personnalité d'autrui. Au contraire, il est important de rester maître de soi et de prendre conscience de qu'elle est et de ce qu'elle a pu endurer pour être comme ça. Cela signifie se poser la question : qu'est-ce qui a fait qu'elle agisse d'une manière ou d'une autre ?

Cela va de soi que le discernement va nous permettre de distinguer le vrai du faux. Lorsque j'emploie « la capacité de percevoir le vrai du faux », j'entends par là, notre aptitude à comprendre et identifier ce qui est bon ou pas pour nous, dans différents événements de notre vie.

Ça nous demande de la patience, mais rien n'est impossible lorsque nous le désirons de tout notre cœur. Il faut donc garder courage et vous verrez de belles choses s'accomplir dans votre vie. Pour cela, il suffit d'avoir de la volonté.

En effet, cela reste quelque chose à pratiquer au quotidien dans notre vie, pour s'entraîner à avoir la capacité de discerner les choses. Ainsi, savoir quel est le but de la personne, derrière sa venue. Est-ce qu'il ou elle vient pour de la bonté ou de la malveillance ? Peut-être juste de manière désintéressée et non pour ma personne ?

Il y a certaines personnes ou différentes situations qui arrivent dans notre vie, d'apparence très intéressante, voire très belle, mais qui finalement n'apporteront que du mauvais dans notre vie.

Ces situations vont donc nous demander d'être capable de voir le fond des choses, car nous sommes influencés par bon nombre de personnes ou d'actualités autour de nous. Il y a des personnes qui arrivent à se garder face à l'influence qui les entoure, d'autres non.

Lorsque vous mettez en pratique le discernement, vous arriverez à comprendre avec le temps, ce que cette personne a pu traverser dans son passé, lorsqu'il ou elle agit de telle ou telle façon face à vous.

Comme je vous l'ai dit juste avant, lorsque ce potentiel est maîtrisé, il y a comme une sorte de bonheur et de paix intérieure d'avoir pu constater, réfléchir, juger et discerner ce qui a pu être perçu, par votre cœur, dans le cœur d'autrui.

Un problème, un défi ? Cela peut demander tellement de temps, tellement d'années qui nous font endurer lors notre vie, dans un temps long et court à la fois.

Combien de fois nous est-il arrivé d'être confrontés à une potentielle dispute où nous n'avons pas su nous maîtriser ?

Dans nos gestes, nos pensées ou nos paroles qui ont finalement finir par engendrer un conflit. Ce même conflit, que l'on peut percevoir comme le mur qu'on ne peut pas traverser.

Le discernement nous permet de gagner du temps dans nos choix et nos décisions. Ce temps que nous prenons nous permet de réfléchir sur les choses et sur les situations qui nous arrivent.

Cela permet, en amont, d'être en mesure de percevoir et de cerner par quelle pensée cette personne est animée, ce qui fait et ce qu'elle est. Ceci en prenant en compte que le passé ou le vécu des gens sont propres à chacun.

Cela ne signifie pas que nous ne pouvons pas, aussi, ne pas commettre des erreurs parfois. Il faut alors que nous essayons de mettre en pratique, le discernement, avec persévérance. En effet, ce n'est pas toujours évident en fonction de chacun de différencier et discerner les choses. Cela, parce qu'il y a des différences singulières, en fonction de notre expérience et notre maturité : du fait de nos croyances, nos traditions, de notre histoire et de notre éducation. Ce qui permet à certaines personnes d'avoir plus de facilités à discerner les choses que d'autres.

Lorsque nous manquons de discernement, cela peut nous amener à mal agir dans certaines situations, à mal juger ceux qui nous entourent et ceux qui sont près de nous.

Finalement, nous finissons par nous exposer aux autres, du fait de notre manque de maîtrise et d'un regard analytique face à certains conflits ou problèmes, qui peuvent parfois se dresser contre nous.

En effet, agir sans discernement c'est aussi agir sans conscience de nous-mêmes et de l'autre. Nous n'avons alors, que faire du bien ou du mal fait aux autres.

Nous ne prenons pas conscience de l'impact des actes que l'on pose, parce qu'on n'y a pas réfléchi avant. On finit donc par subir nos actions et agissons finalement à la légère.

Il ne faut pas s'arrêter à ce que l'on voit, ne pas se limiter aux apparences sans aller en profondeur de ce qu'on regarde ou entend.

Afin d'offrir davantage lors des moments problématiques et dans certaines situations de la vie.

Il est vrai que le discernement demande une certaine maturité, de savoir-être et de savoir-faire. Pour cela, il faut avoir la capacité de faire le tri sur soi, de reconnaître les choses qui arrivent à nous, de les accepter, de pouvoir les différencier et de comprendre ceux qui nous entourent. Ceci, en prenant en compte nos pensées face à certaines situations ou certains événements.

Cela s'apprend au fil du temps, demande du travail et de la patience envers notre être. Tout ça, dans un but de bienveillance envers autrui. C'est un travail constant dans notre quotidien qui demande une certaine rigueur, du respect et de la tolérance.

Chapitre 3
La prévoyance

La prévoyance est la capacité de concevoir et d'anticiper les choses à venir. C'est de pouvoir prendre les dispositions nécessaires pour faire face à telle ou telle situation. Ainsi, cela permet de concevoir les événements qui arrivent par la pensée, d'y réfléchir, d'être en mesure de l'envisager et de prendre nos dispositions en vue d'une éventualité à venir. Ce qui permet de faire en sorte qu'à chaque moment de notre vie nous puissions le penser à l'avance, prendre ce temps d'analyse et de réflexion en fonction de chaque situation.

De plus, cela permet de s'organiser sur les choses futures et de prendre nos dispositions.

C'est le fait, d'être en mesure de se prémunir et d'observer les événements qui vont arriver ou peuvent arriver.

Finalement, cela permet d'avoir de la prudence, de l'anticipation et de marcher avec assurance et sécurité en ce qui concerne notre avenir. Car nous avons su être prudents en ce qui concerne les projets.

La prévoyance, va être pour nous, le fait de conserver des provisions, car la vie est faite de saison. Il y a un temps pour pleurer et un temps pour se réjouir, un temps pour semer et un temps pour récolter ce qui a été planté. Il y a un temps où nous sommes en pleine abondance et un autre où le désert de la provision se manifeste.

Un Homme sage pense forcément à l'avenir, c'est-à-dire, qu'il pense à se préparer pour demain, en semant dans une terre afin d'engendrer son assurance pour le futur.

La prévoyance implique de l'organisation et de la planification sur les choses à venir. C'est aussi l'épargne, car on ne peut vivre sans épargner ou se préparer en cas d'éventuelles difficultés.

La sagesse nous amène à penser à avoir de l'épargne, à être en mesure de faire la somme de tout ce que nous avons et de nous efforcer à ne pas toucher aux cinq ou vingt pour cent d'épargne financière, que nous mettons alors de côté.

Il est important d'avoir cette intelligence et d'être en mesure de planifier les choses.

La prévoyance évite le gaspillage, un homme ou une femme prévoyante évite le gaspillage.

Nous sommes dans une société où le gaspillage est bien présent. Nous jetons toute sorte de choses parce que nous n'anticipons pas ou parce qu'au final nous n'en avons pas besoin.

Ayons donc la sagesse de préserver et d'éviter le gaspillage, de se rendre compte de la manière dont nos ressources peuvent être gaspillées à travers nos dépenses inutiles et imprévues.

Ce n'est pas synonyme de sagesse. En effet, ce n'est pas utile d'acheter quand on n'a pas besoin, essayons d'éviter toute forme de gaspillage.

La prévoyance, c'est la capacité de penser grand, car la provision à avoir avec nos réserves, nos économies et notre épargne. Ce qui nous permet de penser grand et d'aller encore en plus loin et plus haut par rapport où nous en sommes d'aujourd'hui.

Ainsi, cela permet de porter la vision de notre rêve et de croire en nos rêves. Ceci dans le but d'être en mesure de les valoriser et d'être prudent, mais cela ne nous empêche pas, parfois, de commettre des erreurs dans notre marche. Les erreurs font partie de la vie et la vie nous donne de l'expérience pour grandir et être plus sage.

La prévoyance se faufile dans notre anticipation à parler. En effet, lorsque nous postulons et allons à un entretien, pour un éventuel travail, quel que soit le domaine où nous voulons entrer, cela aide à avoir cette capacité et d'être en mesure d'anticiper ce qui peut arriver.

Lors d'une réunion de travail, ça va permettre de se préparer à parler en public, devant un certain nombre de personnes et d'être en mesure d'employer les bonnes phrases, les bonnes formulations, les bonnes intonations.

La prévoyance, du fait de notre parole, se manifeste dans différentes situations. De même, que nos gestes, notre posture, notre anticipation en fonction des saisons hivernales et chaudes, cela permet d'éviter tout problème de maladie, dû à notre manque de prévoyance à certain moment.

Cela va nous faire anticiper notre façon de nous habiller en fonction de notre environnement, car il importe d'être conscient de ce que l'on porte sur soi-même.

Si l'habit ne fait pas le moine, il renvoie tout de même des messages, volontaires ou involontaires. Car nous pouvons chercher à vouloir transmettre un message lorsque nous nous habillons. Il est important de faire attention aux regards des autres et de ne pas, toujours, choisir d'adhérer à un mouvement de groupe par le biais notre apparence.

Finalement, le choix de ce que l'on porte sur soi est en lien avec la question de l'identité au sein d'un groupe et de notre société.

Quand bien même, de manière involontaire ou inconsciente, nous ne pouvons pas toujours nous apercevoir, au travail ou dans un lieu extérieur, la façon dont notre apparence nous représente va donner un certain regard et une pensée sur qui nous sommes. Le regard que nous portons, aux yeux des autres, implique un jugement car cela va impacter la manière dont la société nous regarde. Ce qui provoque en l'autre un jugement et cela peut nous impacter, en fonction de l'importance que l'on porte au regard d'autrui.

La prévoyance joue aussi un rôle dans notre façon de manger. Le fait d'être équilibré dans notre alimentation et de prévoir différents aliments, dans la semaine, nous donne les bonnes vitamines nécessaires pour notre corps.

Cela va nous amener à faire attention à ce qui entoure notre vie et à notre santé, dans le but de prendre soin de soi et de transmettre ces bonnes habitudes à nos proches, mais surtout à nos enfants.

Je suis conscient qu'il y a plein d'autres aspects de notre quotidien que la prévoyance va impacter, mais finalement, la prévoyance nous demande d'être disposé et prêt au changement.

Chapitre 4
La responsabilité

Bien que la vie soit pleine de défis et de décisions à prendre pour avancer, il est important pour certains d'entre nous de ne pas avoir honte de ce que nous faisons.

Un sage assume sa responsabilité, assumons donc la nôtre.

Oui, il est vrai que chaque acte, que nous posons, nous expose au jugement moral des autres. Que nous nous exposons à la réaction d'indignation, de colère, de remords, ou bien de rejet de la société ! Que s'exposer est aussi, un poids et une peur pour sa personne. Cela engendre parfois, de la honte ou de la culpabilité, car certains choix restent, par moments, difficiles à prendre. Cependant, il y a des difficultés à surmonter car aucun autre Homme ne pourra les résoudre pour nous.

Combien de fois nous est-il arrivé, tout au long de notre marche, que certaines choses n'avancent pas parce que nous attendons que l'autre personne puisse résoudre ce problème ? Il se peut que l'autre le fasse ou que cette autre personne soit amenée à le faire, mais ce n'est pas toujours le cas.

Assumons, donc, nos responsabilités face aux défis de la vie, car quoi que nous fassions, ces défis seront toujours là.

Combien de fois, la plupart d'entre nous, lorsque nous marchons dans la rue, voient et constatent des personnes parfois en difficultés, dans leur souffrance, assises par terre et/ou même évanouies ?

Nous nous disons dans notre cœur et notre pensée que quelqu'un d'autre l'aidera et nous passerons au-devant de lui ou d'elle sans agir.

Assumons nos responsabilités et devenons un ange pour quelqu'un, aidons nos frères ou bien nos sœurs dans leurs souffrances. De même, pour nos futurs enfants, amenons-les à devenir responsables dans leur vie.

Tout ça, ça commence par les petites taches. C'est à nous d'être en mesure d'inculquer à nos enfants comment arranger la maison pour que demain, ils puissent arranger le pays.

Nous ne pouvons parler aux gens d'excellence, quand nous même nous sommes désordonnés.

Prenons le temps de regarder ce qu'il y a dans notre vie et dans notre monde pour pouvoir l'arranger, afin d'être dans le futur, un modèle pour les autres.

Aujourd'hui, les responsables vous remplaceront dans tous les domaines de la vie, ne vous attendez pas à d'énormes salaires ou de grands postes de responsable, mais apprenez à être des personnes qui aiment l'excellence et qui assument leur responsabilité, quels que soient les choix que vous faites.

Tout le monde ne sera pas d'accord dans les choix que vous prendrez et il y a souvent une confusion entre l'orgueil de l'autre et votre responsabilité. En effet, les orgueilleux disent toujours « je » et les responsables disent toujours « je ».

Mais, l'orgueilleux dit toujours : « je » dans le mal et le responsable dit : « je » dans le bien.

Lorsque vous voyez ou que vous rencontrez un homme qui ne dit jamais « je », c'est un irresponsable.

Les irresponsables appellent les responsables des êtres orgueilleux. Laissons les hommes nous appeler de la sorte, car nous réglons leurs défis pour eux.

Soyons toujours confiants et pleins d'assurance, n'ayons pas d'inquiétude, car cela se travaille avec le temps et il est possible d'y arriver.

La responsabilité vous rendra plus mature et plus sage. Il n'y a pas d'inquiétude à avoir, car ça arrive à tous et à tout le monde de se tromper dans nos décisions et de commettre des erreurs. Là est la beauté de notre histoire et de notre monde, car c'est l'expérience des fautes et des erreurs qui nous permet de nous améliorer.

Pour certains défis, il nous faudra y aller en équipe, à plusieurs, mais à certains moments de notre vie, nous serons amenés à être seuls face à une situation.

Apprenons à prendre conscience de nos responsabilités face à notre langage, car un être responsable par son langage montre son sérieux.

Une personne responsable, lorsqu'il fait une promesse, il la tiendra. S'il dit « je m'engage à faire ça », il le fait.

On observe, cependant, un relâchement tendanciel dans notre discours. Finalement c'est comme si parler n'engage plus aujourd'hui comme ça pouvait engager avant. Parce qu'aujourd'hui, les réseaux sociaux réduisent fortement la relation d'un auteur à ses paroles.

Nous pouvons lancer presque n'importe quoi et ne pas forcément être engagés dans nos paroles ou au plus profond de l'écriture que nous partageons et publions pour les autres, en ce qui concerne notre histoire.

La responsabilité, dans notre vie, n'en reste pas moins une notion complexe et dense. La responsabilité peut être de notre fait ou être du fait d'une autre personne.

Que nous soyons sous son contrôle, comme nos parents ou notre patron, elle donne finalement lieu à des conséquences positives ou négatives pour nous. Parce que certaines règles et sanctions peuvent être à prévoir.

Cela renvoie aussi à l'existence d'une responsabilité formelle ou juridique, d'une valeur juste qui peut être la responsabilité civile, morale ou même pénale.

Cette responsabilité, face à une situation mauvaise, amène chaque individu à être poursuivi et il doit accepter que les règles puissent entraîner des sanctions.

Chapitre 5
La tempérance

Dans notre vie, nous sommes confrontés à toute sorte de désirs. Bien que le désir et le plaisir soient bons en soi, c'est une vraie richesse dans notre vie. Cependant, dans notre manière de vivre, le plaisir doit être tempéré.

Sinon le risque est que nous soyons maîtrisés par le plaisir, que nous tombions dans une ou plusieurs difficultés ou encore que nous devenions prisonniers de ce désir dans nos vies.

Il est possible que nous maîtrisions le plaisir ou que ce soit le plaisir qui nous contrôle.

Dans l'amour, la tempérance est un signe d'harmonie et de compréhension mutuelle envers l'un et l'autre.

Aujourd'hui, si le couple traverse des difficultés, la tempérance va rappeler que celles-ci ne peuvent se résoudre que si chacun communique et est en mesure de faire un pas vers l'autre. Cela permet de renouer les liens perdus, et de ne pas prendre le risque qu'il soit perdu dans le temps, car cette communication ne s'est pas manifestée.

Dans la tempérance, nous devons nous montrer patients dans les choses. Être capable dans notre relation de comprendre le point de vue de l'autre.

Lorsque nous travaillons cet équilibre, cela doit nous permettre de nous adapter dans notre environnement et dans nos nouvelles tâches à accomplir.

Par exemple : Si nous sommes un nouveau chef dans notre entreprise ou lorsque nous arrivons dans un nouveau travail, il est important que nous puissions être en mesure de faire face à ce qui est attendu de nous. Ces tâches demandent de garder de l'équilibre en nous, de la modération et du contrôle de soi.

La tempérance est une vertu qui demande du temps et du travail, elle est facile à enseigner mais, en réalité, bien difficile à pratiquer dans notre vie.

Face à l'argent, la tempérance nous indique qu'il ne faut pas prendre des décisions sous le coup de nos émotions. Il arrive souvent que nous soyons tentés par différentes choses comme la nourriture. Cependant, l'excès de nourriture, s'il est mal équilibré, nous amène à bien des problèmes de santé, sur le long terme. Cela peut par la suite avoir un impact émotionnel, comme le fait de se dévaloriser. En effet, certains peuvent manquer de maîtrise dans la façon de manger au quotidien. Ce qui peut pousser ces personnes à se sentir mal dans leur peau.

Il est, donc, important de vous instruire. Cela passe par la capacité de regarder et d'écrire sur des sujets en lien avec l'alimentation et la santé. Ainsi que de faire l'exercice d'écrire toute une liste de ce que vous mangez pour comprendre vos faiblesses.

Soyons en mesure d'être capables d'avoir la tête froide, d'avoir la capacité de connaître nos faiblesses et contrôler nos pensées.

Notre langage doit nous permettre d'avoir de la maîtrise, même si cela n'est pas évident face à la colère, mais soyons en mesure de la maîtriser et de garder le silence lorsque nous sommes fâchés.

Un homme prudent se garde lui-même face à son langage.

La tempérance ce n'est pas supprimer ce que l'on aime faire, mais c'est d'être en mesure de maîtriser ce que l'on aime faire et d'être capable d'avoir un équilibre en ce qui concerne nos désirs.

Cela demande de la prudence intérieure, une vérification interne, une volonté d'éveil sur ce que nous aimons.

Prendre garde à notre état de vie du moment et de l'endroit où nous nous trouvons. Bien que notre âge, d'aujourd'hui et de demain, ne règle aucun problème face à nos désirs changeants, ces désirs seront toujours aussi désordonnés sans le travail de la tempérance.

Notre capacité à être équilibrés dans nos désirs est nécessaire pour être davantage heureux. Notre bonheur dépend en grande partie de notre capacité à renoncer à un plaisir immédiat.

Néanmoins, si nous n'arrivions pas à renoncer à ces petites choses immédiates, pour atteindre un plus grand but, jamais nous arriverons à atteindre le bonheur.

Construire quelque chose, dans la vie, va forcément nous demander de la rigueur et des sacrifices personnels.

En effet, cela nous pousse à renoncer à des petites choses. D'ailleurs, c'est justement la tempérance qui va nous permettre de faire cela.

Si on n'arrive pas à maîtriser et commander nos passions, nous n'obtiendrons pas la paix et le bonheur.

Tout ça commence par le fait de prendre conscience que sans l'humilité, il nous sera difficile d'atteindre ce degré de volonté et de raison, face à nos insuffisances et nos faiblesses.

Il est important d'accepter et d'entendre les choses. C'est ce qui nous pousse à aller plus loin sur ce que nous devons réguler et lorsque nous en prenons conscience, cela va nous ouvrir la porte vers la modération.

Nous serons, alors, en mesure de faire la part des choses et de nous montrer justes dans nos jugements et avec nous-mêmes. Ce qui apportera un équilibre à notre situation et dans nos rapports avec nos passions.

La pratique de la tempérance permet d'avoir tous les éléments en notre possession. Ceci afin de prendre la meilleure décision possible et de faire face à nos désirs personnels.

Lorsque nous faisons preuve de tempérance, nous sommes capables de comprendre complètement ce qui nous touche, de l'intérieur, pour le maîtriser, par la suite.

Chapitre 6
Le jugement

Il y a tant de gens en souffrances et en difficultés dans leur vie. Qu'est-ce qui nous permet de juger la vie des autres ? Sommes-nous réellement au courant de toutes leurs histoires ? Si ce n'est pas le cas, sommes-nous légitimes de poser un point de vue dessus ?

Il y a tant de personnes qui sont malheureuses et/ou qui ont eu une vie difficile dès leur plus jeune âge.

Il existe des personnes pour qui ses épreuves et ses défis sont toujours aussi douloureux.

Toutes ces choses peuvent amener ces personnes, à prendre de mauvaises décisions et faire le mauvais choix.

Lorsque nous parlons de jugement : c'est le fait d'avoir une opinion sur un sujet, sur soi ou sur les autres.

La question à se poser est : « qu'est-ce qui amène une personne à avoir ce type comportement dans la vie ? Pourquoi fait-elle preuve d'une telle irritabilité par exemple ? »

Il y a des événements, dans la vie des individus, qui peuvent être douloureux et qui amènent ces personnes à changer leur façon d'être et leur comportement. Ça les pousse, à se méfier dans leurs relations ou sur l'environnement extérieur.

Ce qui nous laisse penser qu'il faudrait regarder et comprendre le comment du pourquoi, en ce qui concerne l'autre. Car ce que nous voyons dans la vie des autres n'est que ce qu'ils nous permettent de voir. Ainsi, nous ne voyons que la façade. Nous ne pouvons pas sonder les cœurs des gens, car nous ne sommes pas Dieu.

Nous sommes souvent amenés à rencontrer des personnes colériques, impatientes, jalouses, ou encore, médisantes dans notre vie.

On se dit, en nous-mêmes, mais aussi aux autres : « Lui c'est un colérique, il m'énerve, il est impatient celui-là ! »

Nous jugeons, tout de suite, le comportement et l'apparence des autres. Ceci, alors que nous-mêmes avons une poudre dans l'œil et sans nous apercevoir que nous avons, nous aussi, suffisamment de problèmes à régler dans notre propre vie.

Tout en sachant que l'être humain demeurera toujours subjectif. Il n'est pas en mesure de ne pas juger les autres. C'est ce qui est le reflet de notre vécu et de notre personne. Nous ne sommes que des Hommes.

Finalement, avec le recul, on peut se rendre compte que nous allons plus facilement à la rencontre d'une personne que nous jugeons agréable au premier abord. Ceci en nous basant, simplement, sur son aspect extérieur et son attitude.

Il est important de prendre conscience de ce que nous avons, nous aussi, des problèmes à résoudre, en ce qui concerne notre comportement, afin d'être en mesure d'évoluer.

Nous sommes régulièrement durs avec les personnes, parce que c'est toujours difficile de se regarder dans une glace et de nous voir tels que nous sommes.

Alors, on se cache, on se voile les yeux sur notre propre personne et les défauts, que nous manifestons aux autres.

Il est bien plus facile de regarder chez les autres ce qui ne va pas, parce que quelque part, de manière inconsciente c'est rassurant pour nous.

On se dit, alors, intérieurement : « Il n'y a pas que moi qui ai tel ou tel problème ».

Le souci est que ça nous amène à avoir des exigences envers les autres. En effet, le jugement que nous portons sur les autres affecte nos relations.

Lorsque nous souffrons, cela nous amène parfois, à vouloir que les autres souffrent. On aura, alors, tendance se comparer aux autres, car on se dit en nous-mêmes : « Pourquoi j'ai plein de difficultés alors que pour lui ou elle c'est tout tranquille ? »

Nous récoltons ce que nous semons dans nos agissements ou nos actions. En posant de manière constante le jugement, c'est une condamnation que l'on met sur la vie de l'autre.

Nous pouvons regarder quelqu'un et en fonction de son aspect physique et en fonction de sa façon de s'habiller, on va poser un constat au-devant de lui.

On présume alors que la personne a tel ou tel tempérament. Néanmoins, on ne sait pas tout sur la vie des gens.

Le non-jugement implique une notion de sacrifice envers les autres. Il faudrait faire preuve d'abnégation de beaucoup de choses, que l'on pense, ou beaucoup de croyances, auxquelles on croit sur le moment.

Finalement, ça signifie qu'il faut faire le deuil de nos préjugés et qu'il faut aller au-delà de notre instinct profond.

Une personne que vous rencontrez et qui se trouve à côté de vous, mais qui sent mauvais, peut très vite vous dégoûter. Cependant, cela peut vouloir dire beaucoup de choses sur lui, mais, aujourd'hui, on ne s'occupe plus de ce qu'il y a au fond de leur cœur. Nous nous attachons, plus, à la vitrine des personnes, à ce qui transparaît au-devant nous.

Lorsque nous jugeons, nous portons un certain regard d'autoréflexion tourné sur nous-mêmes, nos valeurs, nos croyances, notre histoire et notre culture. Tout ceci peut intervenir dans la décision que nous prenons.

Alors, il est bien mieux et important de faire attention, quand nous regardons quelqu'un. D'être en mesure de prendre garde au style de pensée que cela peut provoquer en nous, car lorsque nous jugeons quelqu'un en mal, automatiquement on se positionne, en quelque sorte, au-dessus de lui, même si ce n'est pas l'effet voulu.

Il nous arrive parfois, dans nos relations, de juger les autres inconsciemment, sans forcément y prêter attention. De dire des mots durs et blessants qui, automatiquement, ont pour effet d'écraser celui sur lequel on pose un constat.

Nous pouvons aussi juger en bien et de la bonne manière. Ça demande du travail sur soi, mais ceci ne reste pas impossible à réaliser pour les autres.

C'est en soi-même qu'on peut trouver la capacité de bien juger, avec retenue, les personnes qui se présentent et qui se montrent à nos yeux. C'est ce qui nous permet de voir au-delà des réflexions, sur les choses qui sont au-devant nous.

Un sage sait juger ce qui l'entoure et ceux en dépit des événements conflictuels qui peuvent se présenter au-devant de lui.

J'invite ici, mes lecteurs à prendre garde sur leurs perceptions des choses et sur leurs représentations. Ainsi, je leur conseille de prendre du recul, ou en considération, le vécu de chacun. Ceci dans le but de ne pas tomber dans le vice du jugement. D'atteindre une certaine sagesse et d'être bienveillant envers les autres, mais d'abord envers nous-mêmes.

Ainsi, cela nous permet d'être indulgents et bons pour nous et pour l'autre. Car l'Homme bienveillant se fait d'abord du bien à lui-même.

Conclusion

Chaque pilier de la sagesse, mis en pratique dans notre vie, sera une source de bienfaits.

La sagesse est un gain de qualité supérieure. Celui qui la possède en tire un grand profit dans sa vie car elle embellit l'existence. Elle valorise quiconque la possède, garantit la longévité sur terre, produit la richesse, apporte la paix et procure le bonheur à qui la détient.

Lorsque nous mettons en pratique le pilier de l'écoute dans notre vie, gardons en mémoire de rentrer dans l'univers de cette personne, d'être centré sur elle, de rester attentionné et, ainsi, la comprendre dans ses faiblesses.

Pour le second pilier, le discernement, essayons de nous rappeler que pour chaque situation, qui nous arrive, il est important d'être en mesure de prendre le temps de réfléchir sur les choses, sur les situations qui nous arrivent et d'être en mesure de faire le bon choix pour soi-même.

En allant sur le troisième pilier, qui est la prévoyance, rappelons-nous d'anticiper les choses, de se préparer pour demain, d'être organisés et de planifier les choses à venir.

Le quatrième pilier de la sagesse nous indique d'assumer notre responsabilité. Soyons responsables dans notre comportement et dans les erreurs que nous pouvons commettre sur notre chemin. Que ce soit au travail, avec nos amis ou encore avec notre famille.

Le cinquième pilier, la tempérance, nous rappelle de garder en mémoire d'être une personne modérée et équilibrée sur notre chemin, quelles que soient nos envies.

Et enfin, pour le sixième pilier, le jugement, il est essentiel de faire attention aux pensées que nous pouvons avoir sur les gens. Ainsi que sur le regard que nous pouvons porter à leur égard, car nous pouvons vite être surpris de la situation émotionnelle et psychologique que chaque individu traverse.

Table des matières

Imprimé en Allemagne
Achevé d'imprimer en février 2022
Dépôt légal : février 2022

Pour

Le Lys Bleu Éditions
40, rue du Louvre
75001 Paris

LE LYS BLEU
ÉDITIONS